D1413655

Mes parents font des SMS

Alexandre
HATTAB

Mes parents
font des SMS

Collection dirigée par Christophe Absi

Sommaire

Chapitre 1

Ça vanne sévère !

Apprendre de ses erreurs

Moi : ahahah tu devrais apprendre de tes erreurs !

Papa : Oui, c'est bien pour ça que je n'ai eu qu'un enfant.

Qui est-ce ?

Moi : Hello, je n'ai plus mes contacts ! Qui est-ce ? Sinon oui, je m'y rendrais très probablement !

Maman : C'est ta maman .

Moi : Haan t'as du crédit !!

Maman : Oui il est où ton problème ?

Moi : C'est pas ma maman !

Moi : As-tu de la moustache ? Des cheveux blonds ? Des lunettes ?!

Démission parentale

Moi : Man' tu reviens quand ?

Maman : À tes 18 ans

Il va neiger

Maman : ça va ma biquette ???

Maman : Allo allo !!! ça va ???

Moi : Oui je fais mes devoirs !

Maman : Euh il neige ???

Moi : Non

Maman : Alors ça va pas tarder !!!

Moi : Pffff !

Ma situation amoureuse sur Facebook

Papa : T'as changé ta situation amoureuse sur Facebook en « C'est compliqué » ?

Moi : Ouai pkoi ?

Papa : T'as du mal à choisir entre ta main droite et ta main gauche ?

Le puceau

Moi : je peux aller en boite ce soir ?

Maman : Ok mais tu m'emmènes !!

Moi : non interdit pour les vieilles les boites de nuit mdr !!!

Maman : c'est aussi interdit aux puceaux, non ?

Moi : ...

L'avis de recherche

Maman : Avis de recherche :
fille brune cheveux TRÈS longs,
taille moyenne poids : 3 kgs
à perdre d'après elle. Signe
distinctif : ne peut s'empêcher
de crier, chanter et emmerder tt
le monde ! Si C ravisseurs lisent
ce message, kil la garde MAIS
kil me prévienne, Histoire ke
j apprécie à sa juste valeur son
absence !!!

Moi : Mdrrr teubé

Toi aussi tu bosses ?

Moi : Tu peux passer au resto pour me laisser des
sous stp j'aurais voulu aller boire un coup ce soir

Papa : Tu gagnes pas ta vie ?

Moi : J'ai ma paye qu'à la fin du mois

Papa : Cool moi aussi

Moi : Pff...

Le double menton

Maman : :-))

Moi : ?

Maman : Tu t'es reconnu avec le double menton?

Papa est cool pour les soirées

Papa : La voiture est dans le garage, l'alcool dans le placard, j'ai acheté de la coke et des mecs viennet demain… ça va?!

Moi : Nickel ! On fait comme ça alors.

Papa : Si vous vomissez par terre pas de souci la femme de ménage se charge de tout.

Moi : Bah parfait on sent l'habitude c'est bien.

Panne internet

Maman : Tu rentres quand ?

Moi : je sais pas trop

Moi : vous avez retrouvé internet à la maison ?

Maman : non , le mec de darty passe dans 3 jours. Mais il y a tes parents qui t'aiment à la maison

Moi : ok, je rentre dans 3 jours alors, ya aucun intérêt à rentrer plus tôt ^^

Maman : p'tit con

La salade

Maman : Salut, je manque de thon pour ma salade composée…

Moi : Et?

Maman : Tu peux venir ?:)

Moi : Grr…

La greffe de cerveau

Moi : Il m'est arrivé un truc extraordinaire

Papa : ils t'ont greffé un cerveau ?!?!?

Moi : Haha quel humour

Moi : J'ai eu 18 à un devoir type brevet en géographie

Papa : ah ben c bien ce que je dis. t'as un nouveau cerveau !!!

Moi : T'es méchant :(

Souviens-toi

Maman : Te souviens-tu que tu as une mère ?

Moi : Vaguement

Maman : Saleté

Le t-shirt ringard

Maman : C'est toi qui a pris mon t-shirt que j'avais mis à l'anniversaire de tata Karine?

Moi : G fais une soirée déguisée « ringard » hier soir, ton t-shirt collait bien au thème lol

Maman : Tu aurais pu me demander au moins. J'espère que tu ne l'as pas abîmé.

Moi : Y'a juste 1 ou 2 brûlures de cigarettes et quelques tâches de bière. Je te rassure il est plus sympa comme ça ptdr

Le tyran

Moi : t'as vu ? Kim jong il est mort ^^

Papa : Oui j'ai vu !! J'ai envoyé un CV et une lettre de motivation pour le remplacer !!

Moi : Hahaha t'es surqualifié vieux grincheux

Papa : Petit Batard…

Les vacances

Moi : Ça y est maman je suis en vacaaaaances :)) !!!

Maman : Pauline, ça fait 4 ans que tu es en vacances…

Moi : Bien vu…

Il me croit feignant

Papa : T où ?

Moi : En cours

Papa : Tu fais quoi ?

Moi : Ba je boss –"

Papa : TU boss ?!!!

Moi : Nan nan je dors

Papa : Ah ok je préfère
Tu m'as fait peur

Moi : --"

Le daron

Papa : C'est un numéro provisoire. Ton daron

Moi : Pourquoi tu dis Daron ? C'est vieux et c'est très moche quand tu le dis :3

Papa : Ok ton vieux alors

Moi : Ah tu vois ça te correspond mieux aussi !

Ma sœur ce boulet

Moi : Pendant le festival j'emmènerai Gaëlle voir une pièce de théâtre qui la représente plutôt bien. :)

Maman : Super je suis contente que tu sortes un peu avec ta soeur !! Vs irez voir quoi ??

Moi : "Ma soeur est un boulet" elle y était déjà l'année dernière

Maman : Saleté ! T'as pas tort mais t'es pas mieux lol

Moi : ;)

Bien vu !

Papa : As-tu une allergie en ce moment au niveau des mains ??

Moi : Euh non pourquoi ?

Papa : Tu es sûr ? Tu n'as rien ??

Moi : Baaaaah oui si j'te l'dis --'

Papa : Alors pourquoi t'as toujours pas fait la vaisselle ?!

L'horreur

Maman : Tu es belle ma fille mon portrait craché quand j'avais ton âge

Moi : Euhh non merci je ne veux pas te ressembler

Maman : Ne rentre plus à la maison j'ai fait changer la serrure tu n'es plus ma fille

La calvitie

Papa : Kel tête tu as ??????

Moi : Je suis BELLE !

Papa : Aussi beau que ton Père ??

Moi : Plus même !

Papa : C pas possible !!!!!!

Moi : C'est même trop facile

Papa : Myto !!! je suis un playboy!!!!

Moi : T'as de la calvitie aussi.

Tu as des réserves

Moi : Merci c'est très aimable :)

Maman : De rien mon cher :) bon appetit

Moi : Merci j'ai pas trop faim donc j'attends encore un peu ;) a ttes <3

Moi : Surtout que me mère me laisse mourir de faim car j'ai plus rien. Mdr :P !

Maman : Pas grave t'as des réserves :)

C'est bidon !

Moi : On est au bowling je vous appel quand je rentre je vous aime

Maman : Fais nous honneur

Moi : C'est pas gagné !

Moi : On a fini j'ai perdu !!! Là on va manger au Mac do

Maman : Bidon on te déshérite

Tu sers à rien

Papa : T'as 1 idée de ce que je pourrais faire pour l'apéro ???

Moi : Ah non pas du tout

Papa : Mais merde tu sers à quoi à la fin ?

Moi : ...

La tache

Maman : Décroche tu m'soules

Moi : Scuse si je dors !!!!

Maman : URGENT !!!! Aujourd'hui c'est la journée nationale de la lessive. Envoie un sms à la plus grosse tache que tu connaisses. PS : moi c'est fait !!!

Moi : Ah ben merci

Maman : Mdr

Papa fait de l'ironie

Papa : Ça va ma fille ?

Moi : Oui et toi

Papa : C dur les révisions ?

Moi : Beh je suis à peine en vacances depuis une heure

Papa : Ça doit être dur ttes ces heures de cours. Enfin le repos

Moi : C'est ironique je suppose ?

Papa : Loooooool Mdr

Maman trop sympa

Maman : C koi une photo y a rien ???

Maman : T'es où toi je ne te vois pas ?

Moi : À droite sans équipement

Maman : Ah j'ai vu ce beau gosse et je me suis dit : "c'est pas possible c'est pas moi qui ait pu faire un aussi beau gars ???" Alors je me suis raisonnée en me disant que tu n'étais pas sur la photo.

Moi : Merci

Chapitre 2

Autorité parentale

Je t'aime moi non plus

Moi : Je t'aime tu sais…!!

Maman : Tu veux combien ?

La permission

Papa : Non

Moi : J'peux sortir au moins ?

Papa : Si tu demandes gentiment !

Moi : Puis-je sortir s'il vous plaît très cher père adoré

Papa : Voilà, tu vois quand tu veux ! Je vais y reflechir

Moi : D'accord

Papa : Je te donne ma réponse demain

Les révisions

Moi : Je vais chez une copine pour réviser, bisous

Papa : Ta mère sortait la même excuse à ses parents pour venir me voir ! Rentre tout de suite.

Trop jeune

Papa : C'est qui Jules ?

Moi : Bah papa, c'est mon copain.. pourquoi ?

Papa : Il est passé à la maison, je lui ai dit qu'il efface ton numéro et que tu voulais plus le voir, à 17 ans t'es trop jeune pour avoir un copain. À ce soir je t'aime ma puce.

Le mauvais numéro

Moi : Je suis con, j'ai oublié mon briquet chez toi! Tant pis je repasserai le prendre demain! Bisous!

Maman : Oui, tu es très con, je pense que tu t'es trompée de numéro. Sur ce je t'attends dans 5 minutes dans le salon, tu as intérêt à avoir une bonne excuse. Bisous!

Merci maman

Moi : ma prof d'espagnol m'a mis un zéro pour un exercice non fait…

Maman : C ki cette conne ?! C koi son nom ?

Moi : Mme ***

(10 min plus tard)

Maman : t'as plus de zero !

Maman : on ne touche pas à mes enfants !

Papa stressé

Papa : Rentre c'est tard

Moi : Tu viens me chercher papouné ?

Papa : Non tu te démerdes

Moi : Ok Steeve me ramène en scoot :) a tout de suite

Papa : J'arrive.

L'intermédiaire

Maman : Dis à papa qu'il fasse attention au radar après le tunnel de la croix rousse

Moi : Dis à ta mère qu'elle s'occupe de la validation de ses commandes. De papa

Maman : Mdr

Moi : Vous avez un portable plutôt que de passer par moi hein ?!

Maman : Oui mais tu es le centre de notre vie lol

Les ordres

Maman : T'as fait ta chambre ?

Moi : Ouais

Maman : T'as fait tes devoirs ?

Moi : Ouais

Maman : Tu me détestes ?

Moi : Ouais

Mon souhait...

Moi : Je voudrais que mes cheveux soient plus longs !!

Papa : Et moi je voudrais que ta jupe soit plus longue... On ne peut pas tout avoir dans la vie...

Ça va être ma fête

> **Papa :** tu es où ?

> **Papa :** ?

> **Papa :** ?

> **Papa :** et pourquoi pas de réponse ???

> **Papa :** tu pourrais me répondre stp

> **Papa :** si tu ne réponds pas ça va être ta fête

> **Moi :** je suis à la maison

> **Papa :** Faut toujours te menacer c'est usant à la fin

La pomme

> **Maman :** N'oublie pas d'enlever l'étiquette qui est sur ta pomme. Ne la mange pas. Bisous, bonne journée, maman.

> **Moi :** Heu maman, c'est une blague ?!

Le tennis

Maman : Tu fais quoi ?

Moi : Un tennis.

Maman : Ah bon ?

Maman : Tu n'es pas dans ton lit ?

Moi : Oui, oui, tiens à 5 h du mat. J'adore, surtout le tennis de lit.

Maman se prend pour une prof

Maman : T'as gardé le papier de Stéphane ?

Moi : Non. Mais on a regarder sur le site et c'est le 4

Maman : Le verbe avoir ne s'accorde pas avec le sujet mon bébé « on a regardé » sur le site.

Moi : Mais j'écris à la vavite !

Maman : À la va-vite

Grillé à des kilomètres

Moi : Coucou, c'est moi, ça va ? Je t'aime.

Papa : Coucou , oui je vais bien . Moi non plus . Non tu ne peux pas sortir avec Kim . Oui j'abuse . Et oui je sais finalement tu me détestes .. Je te connais bien hein !?! :3

Moi : Merci.

Les punitions ça marche !

Moi : J'ai eu 18 en italien

Maman : Bravo ma chérie, comme quoi, quand tu es privée de sortie tu as de meilleures notes. Tu es punie deux semaines de plus.

Range ta chambre

Moi : Ça va maman que j'aime ?

Maman : Range ta chambre.

Le chantage sentimental

Moi : Tu viens pour 19h30 hein

Papa : Tu fais chier !!!!!

Moi : Je t'aime

Papa : :)

Papa : Et pkoi tu m'aimes ?????

Moi : Bah parce que tu viens me chercher !

Papa : J'ai pas dit oui

Moi : Rooh… toi et moi savons que tu vas venir.

T'es mort

J'aurais essayé

La correction

Moi : T'en ai ou ?

Maman : Tout d'abord "tu en es où" est plus juste ensuite nous commençons à manger. Bisous à plus.

La prof

Moi : Je rentre vers 23h tu peux laisser les clef dans le tiroire merci bisou

Maman : Tiroir ne prend pas de E à la fin

Moi : Très bien j'en prends note

Maman : Les clefs avec un s à la fin car il y en a plusieurs sauf si tu écris la clé car là elle est toute seule

Moi : Alors la clé

Le supermarché

Maman : J'suis au supermarché tu veux des céréales ?

Moi : Nan

Maman : Tu veux des pommes ?

Moi : Nan

Maman : Soupe ?

Moi : Nan

Maman : Céréales ?

Moi : Dis tu vas m'envoyer 1 sms pour tous les autres articles ?

Le bulletin

Moi : ça te dérange pas si je reste un peu avec Clémence ? hihi bisous

Maman : Ne rêve pas on a reçu ton bulletin ce matin ! À tt de suite

Maman apprend que je sèche

Moi : J'ai pas cours en fait.

Maman : Arrête de me mentir !

Maman : Je ne te ferai plus confiance…

Maman : Tu avais cours, tu aurais dû y aller !!!!

Maman : Je t'attends !

Maman : Réponds !

Maman : Il est l'heure de rentrer. Signé : ton responsable légal.

Le statut Facebook

Moi : Y'a des fois où je te déteste !

Papa : Tu n'as pas à m'aimer je suis pas un statut facebook

Elle me voit venir

Moi : Maman, tu sais le long week-end du jeudi de l'ascension personne n'a cours ?

Maman : c'est non !

Moi : Mais tu sais pas ce que j'veux dire…

Maman : tu voulais inviter tous tes copains à la maison ?

Moi : Pfff… Oui…

Maman : confère-toi à ma première réponse. Bonne nuit mon fils.

C'est pas gagné

Moi : Je suis bien arriver bisous ! <3

Papa : Arrivé… ER… trop fort…
c bien parti pour avoir tes exams !!

Moi c'est papa

Papa : À quelle heure tu rentres ??

Moi : Je sais pas à quelle heure
je dois rentrer ?

Papa : Maxi 20 heures !!!!

Moi : Oki doki

Papa : Moi c'est PAPA

Moi : Oui captain

Papa : ça vient de passer à 19h30

Moi : Non PAPA !!!

Soirée à la maison : avertissement

Papa : J'ai des photos de toutes mes réserves à alcool, un inventaire complet de toutes mes bouteilles, il y a une webcam cachée dans l'appartement, des micros dans toutes les pièces, y compris les toilettes et les placards, une des bouteilles est piégée avec un produit laxatif à effet décalé de 48h, le commissariat du sixième est averti, bonne soirée. On t'aime !

La vaisselle lui manque

Papa : Tu rentres quand ?

Moi : Je te manque ?

Papa : Non, c'est pour la vaisselle

Papa collant

Papa : On se revoit quand ?

Papa : Tu nous manques.

Papa : T'es de retour parmi nous ?

Papa : J'peux passer ?

Papa : T'es d'retour ?

Moi : Non mais tu me soules déjà

L'annonce

Moi : Maman ?

Maman : Oui ?

Moi : Je vais me MARIER :D

Moi : Maman ? T'es là ?

Maman : … Laisse-moi le temps de réparer mon téléphone.

La boulette

Moi : C bon tu peux venir mes parents vont au resto on est trenkil pr la soirée !!!

Maman : Et je peux savoir avec qui tu vas être "trenkil" ce soir ?

Moi : Merde…

Papa autoritaire

Papa : Il pleut rentre vite à la maison petit merdeux sinon je t'allume

Moi : Pardon, j'arrive père !

Papa : Il flotte ramène-toi vite

Moi : Je m'exécute

Papa : Promptement l'ami, promptement

Mon deuxième prénom

Moi : Coucou je reste chez David ce soir

Maman : Ok ma puce, tu le sais mais sois prudente…

Moi : Lol Prudente c'est mon Deuxième prénom !

Maman : Il vaudrait mieux que ce soit préservatif hein :)

Moi : …..:/

Et bim !

Moi : J'ai oublié ma trousse de toilette sur mon bureau, tu peux la faire passer par Amandine, j'en ai besoin cette semaine…

Maman : Préfère t'apporter livre et stylo vu ton bulletin!

J'ai loupé mon bac

Moi : Bon maman j'annonce déjà la couleur : j'aurai pas mon bac

Maman : Courage. Donc je t'annonce déjà tu seras un enfant mort.

Moi : Au point où j'en suis je crois je serai mieux au paradis dc fais-toi plaisir, mets à profit ce que tu as appris dans faites entrer l'accusé :)

Maman : T'inquiète, je suis déjà prête.

La porte

Maman : Tu es où ?

Moi : Je suis devant la maison

Maman : Tu rentres quand ?

Moi : Quand je serai devant la porte

L'erreur

Moi : Hey meuf, ça y est je l'ai fait ! C'était horrible, elle énorme sa 8=====D !

Maman : Ma puce, dès que rentres je te tue. Profite bien de ta journée, gros bisous.

Moi : Désolée maman c'était pas moi qui écrivait, c'est Anna qui voulait l'envoyer à Kim avec mon tel.

Maman : Bien sûr ma chérie. Achète des préservatifs stp.

Trop prévisible

Maman a tout compris

Moi : Maman tu peux me ramener chez une copine ce soir ?

Maman : Ok mais c'est qui cette copine ?

Moi : Euh tu connais pas.

Maman : Je veux la voir et sa mère aussi quand je te ramènerai !

Moi : Nan c'est bon tu me lâches devant !

Maman : T'as peur que je capte que ta cops a un pénis ?

Les presque encouragements

Moi : Tu vas pouvoir me féliciter

Papa : Pourquoi ?

Moi : Parce que je passe en Terminale avec presque les encouragements

Papa : Presque ça veut dire PAS en fait

Tu vas pas l'appeler

Papa : T'as appelé la dame ?

Moi : Je vais l'appeler

Papa : T'as appelé la dame ?

Moi : Je suis dans le bus je l'appelle quand je suis à la maison

Papa : Et après tu feras caca, après y aura secret story ou je sais pas quoi et tu vas pas appeler

Moi : C'est bon je vais l'appeler j'te dis !!!!!!!!!!

Pris à son propre piège

Moi : Tu rentre manger ?

Maman : Oui. Mais il y a un "s" a rentre ;)

Moi : D'accord. Mais il y a un accent sur le "a". :P

Maman : Ranges ta chambre !

Moi : Range, il n'y a pas de "s".

Maman : « Ta gueule » c'est bien écrit ?!

Le retour de bâton

Moi : Toutes mes amies ont des tatouages donc je ne vois pas le problème...

Moi : ça en devient ridicule maman.

Maman : Si toutes tes amies sautent du haut d'un pont tu sauterais aussi ?

Moi : J'en sais rien. Si aucune autre mère n'utilisait cette réflexion ridicule, tu l'utiliserais ?

Chapitre 3

Ils se prennent pour des jeunes !

Brice de Nice

Maman : Wesh ! Ma fille. Ça farte ? Bitch.

Moi : Pardon ???

La kaira

Moi : Yo !

Maman : Wesh !

Moi : Bien ou quoi ?

Maman : Sisi !

Moi : Putain maman pourquoi tu parles comme une kaira ?!

Maman : Je suis majeure je fais ce que je veux.

La teon

Maman : G oublié de vs dire qu'hier 1 mouette a fait son caca sur le manteau et le polo de papa je ne sais pas si ça porte bonheur !

Moi : T'as pris une photo j'espère

Maman : Non je me suis barée c trop la teon

Moi : Mdr

J'ai rien compris

Maman : Mdr

Moi : Nul tu veux faire ta jeune lol !! :)

Maman : Je peux faire ma vieille mais tu ne vas pas aimer crois-moi !!!!

Moi : Faut assumer ce kon est lol de lol de extra lol

Maman : G rien compris

Moi : Laisse tomber ta jeunesse est passée et tu ne peux plus la reprendre

Le diplôme

(Je passais la spécialité Surveillant Baignade du BAFA)

Maman : Cc mon fils tu rentres quand avec ton diplôme de super mono ? Bisous

Moi : Yo mum ! je rentre samedi en fin d'aprem ,j'ai eu mon premier test de secourisme aujourd'hui et je l'ai euuuu ,plus que les 3 autres épreuves demain !

Maman : Top !! Haha hihi poil au zizi,Je vous embrasse tous les 2 mes ptits gars tu me diras pour le diplome hein ? Poil au sein :-))

Moi : Loool, Oui je te dirai et c'est quoi ce texto, t'as trop fumé ?

Maman : Lol oué du pneu et snifé des oiseaux poil au os- ok merci de me dire gros bisous !

Moi : Mdrr, Bisous !

Tout pourri ton smiley

Moi : Dakk

Maman : Putain j'en peux plus g mal partout

Moi : :/

Maman : ? G pas compris

Moi : C'est un smiley ;)

Maman : Ben il est pourri

Moi : Tu peux pas comprendre

Maman : Ça c clair

Black Guy Peas

Maman : Need help ! Qui chante : it's going to be a good good night feeling

Maman : Les Black Guy Peas ?

Moi : C presque ça...

La boîte de night

Papa : Bon je suis tout seul alors):

Moi : Oh pauvre papa ! J'suis désolée

Papa : Bon ben en cas je vais en boite de night

Moi : Oui voilà, va faire la teuf ! ;)

Papa : Ok je t'appelle pour venir me chercher vers 3/4h ok ?

La réaction

Moi : J'ai 9,4 de moyenne générale…

Maman : meeeuuuuuufffff tu fais chier sérieux !

Moi : ?

Maman n'a rien compris au verlan

Moi : Viens STP à 11h30 je passe à 9h40, cimer jtm tro okok

Maman : Ok nom rouma

Moi : Quoi ?

Maman : Ok nom rouma réfléchis un peu

Moi : Je comprends pas là !

Maman : Ok mon amour

Moi : Ah d'accord… Faut te suivre aussi…

Racaille ou bien ?

Moi : Maman je peux aller dormir chez ma copine ce soir ? ♥ ♥ ♥

Maman : Nn

Moi : D'où t'écris comme une jeune là ?! Allez stp fais pas ta vache

Maman : O ziva ta gueule chuis majeur jfais sque jveux

Moi : Eukéé…

Maman : WINNEEEEEER !

Rentre avec tes pieds

Papa : Yo, il faut venir te chercher ?

Moi : Yo ?

Papa : Oui, je parle jeun's moi !

Moi : Haha ! Crois-le --'

Papa : Je crois surtout que tu vas rentrer à pied.

La rock star

Papa : Je vais démissionner

Moi : Ah bon ? Et tu vas faire quoi ?

Papa : Fuck ! J'veux être une rock star !

Moi : Rendors-toi cher père, c'est qu'un mauvais rêve. Tout va bien se passer... J'espère

Trop de soirées wesh

Maman : J'apprécierai que tu rentres pour que je puisse mieux dormir que la nuit dernière… et je te rappelle qu'il est anormal de sortir tous les soirs !

Moi : Oui ! Je vais pas tarder, j'ai pas vu l'heure

Maman : Ouèche, hier aussi t'as pas vu l'heure (1h45 du matin) ! J'aimerais te croire. Arrête de me décevoir stp

Moi : Wesh ??

Comment dire merci...

Maman : Dis-moi quand tu as fini de ranger le linge stp

Moi : C'est fait !

Maman : Cimer albert !

Moi : ???

Maman est vexée

Maman : Y'a des chickens à la maison ?

Moi : Non

Maman : Dégage ta race

Maman va trop loin

Maman : Non je préfère au téléphone, T'as vu, j'écris des SMS !!

Moi : Oui, mais au 21ème siècle, on sait tous écrire des SMS maman... --"

Maman : J'suis jeun's, j'vais pouvoir venir avec toi et tes copains au pub ou en boîte !

Moi : Euh... Non stop tout là !!!

Chapitre 4

La technologie
les dépasse

Ouvre mozzarella !

Maman : donc j'ouvre mozzarella firefox et après ?

Copier / coller

Moi : Le message que tu viens de recevoir fais copier coller et donne.

Maman : Le message que tu viens de recevoir fais copier coller et donne.

Moi : Mdr. Non pas ça.

Un numéro de téléphone un peu long...

Moi : Maman tu peux me donner le numéro de tél de *** ?

(Trois heures plus tard...)

Maman : Zéro six soixante quatorze vingt deux quatre vingt huit ***

Moi : Merci c'est pratique

Tout en majuscule

Moi : MAMAN JE VOULAIS PAS QUE TU RANGES MA CHAMBRE !!!

Maman : Comment tu fais pour mettre tout en majuscules pour que je puisse te répondre en criant ?

Les onglets...

Maman : Help pk sur l'ordi chaque fois que je clique sur le carré rouge en haut a droite on demande si je veux fermer tous les onglets merci

Moi : Parce que plusieurs onglets sont ouverts...

Maman : ah ok merci

(15 minutes plus tard)

Maman : et donc, je fais quoi ?

Le point d'interrogation

Papa : Ça va point d'interrogation

Cimer

Moi : Bah pas là je suis dans le bus. Je l'appellerai demain ;)

Moi : Cimer

Moi : Cimer la pomme de terre

Maman : Cimer la pomme de terre ?

Moi : Cimer = merci

Maman : Et pomme de terre ?

Maman : Tu trouves que je ressemble à une pomme de terre ?! :(

Maman a trop de mal

Maman : Tu es. Réveillez. Bisou.

Moi : Oui

Maman : Tu es. Partir. Pour. Aller. Au. Boulot. Bisou. Passe. Une. Bonne. Journée. Gros. Bisou.

Moi : Pourquoi tu mets des points à chaque mot ?

Maman : Ça se. Met. Tout. Seul. Bisou.

Je n'ai plus de batterie

Moi : Mon tél n'a presque plus de batterie, j'arrive bientôt!

Maman : Ton téléphone est déjà HS?

Maman : Allo y'a quelqu'un ?

Maman : TU N'AS PLUS DE BATTERIE ??

Maman : Je suppose que oui…

Merci pas-pas

Papa : Paçe me cherch& hallah bouh-tik, Kiss, Pas-pas

Moi : Ok mais c'est pas ça le principe du language SMS ! MDR

Abréviation

Apple iphone

Le nouveau téléphone

Moi : Euh… T'es sûr que ça va ?

Maman : Euh… T'es sûr que ça va ?

Moi : Maman tu sais te servir de ton nouveau téléphone ?

Maman : Maman tu sais te servir de ton nouveau téléphone ?

Moi : Bon ba non je crois pas…

Maman : Bon ba non je crois pas…

Le gain de temps

Maman : Salut, tu rentres à quelle heure ?

Moi : Vers 18 h pk ?

Maman : Pour savoir, et explique-moi pourquoi tu écris toujours en abregé

Moi : Pour gagner du tem

Maman : Et tu fais quoi du temps que tu gagnes ?

Moi : ..... Tu as raison, ça sert a rien

La maison de retraite

Maman : Ma chérie Mdr ça veut dire Maison de retraite?

Moi : Oui et tu vas bientôt y aller :)

Le smiley

Moi : :)

Papa : Enlève moi
ce sourire de ton visage

Moi : :

Inférieur à trois

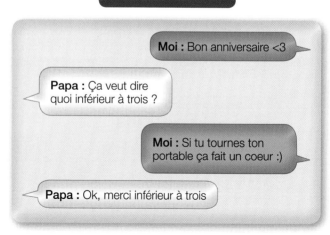

Moi : Bon anniversaire <3

Papa : Ça veut dire
quoi inférieur à trois ?

Moi : Si tu tournes ton
portable ça fait un coeur :)

Papa : Ok, merci inférieur à trois

Cœur cœur cœur

Moi : ♥ ♥ ♥ ♥ ♥ ♥ ♥ ♥
♥ ♥ ♥ ♥ ♥ ♥ ♥ ♥
♥ ♥ ♥ ♥ ♥ ♥ ♥ ♥
♥ ♥ ♥ ♥ ♥ ♥ ♥ ♥
♥ ♥ ♥ ♥ ♥ ♥ ♥ ♥
♥ ♥ ♥ ♥ ♥ ♥ ♥ ♥

Moi : Bonjour à toi
la plus merveilleuse
des mamans

Maman : Moi aussi cœur cœur
cœur cœur cœur cœur cœur
cœur cœur cœur cœur cœur
cœur cœur cœur cœur cœur
cœur cœur cœur

MAC ou PC ?

Maman : Est-ce que tu peux
apporter ton pc mac ce soir ?

Moi : Tu m'épuises…

Maman : Pourquoi ?

J'ai trouvé une b...

Moi : Je rentre vers 20h. Bisous

Moi : J'ai trouvé une bite sympa pour cet été

Maman : Une bite vraiment ? Ton père était inquiet, peut-être avait-il raison finalement !

Moi : Une boîte. (merci maman !)

Maman : Ahah

Papa maîtrise l'écriture intuitive

Papa : J'ai envoyé un message sur portable à julien mais s'il l'a pas avec mioche dis lui bon annuel. De notre part.

Moi : Euh, relis ce que tu m'as écrit !!!!

Papa : Pas moi C est le portable. C'est : mais s'il l'a pas avec lui dis lui bon anniv. De notre part

La barre espace

Papa : Commentvastu

Papa : ouestlafoutuebarre espace

> **Moi :** c'est le bouton ou il y a écrit Espace

Papa : Okjetaime

C'est pas encore ça !

Maman : Lescampingscarsontarrives?

> **Moi :** Pas encore. Cet après-midi. Pour les espaces sur les SMS je crois que c'est la touche "0" ou "1"

Maman : BonneNuit

Maman : D.accord.j.ai.compris

> **Moi :** C'est pas encore ça

La dictée vocale

Maman : allo allo je peux envoye créer mes messages avec moi ma voix la micro

Maman : J'ai un micro de wow wow wow wow

Maman : C'est trop bien plus besoin de taper

Maman : Tu en a un de micro

Maman : Un halo 1 allo allo music raw

Maman : J'ai dit micro

Moi : Oui c bien moi aussi

Mamie souhaite une bonne année

Mamie : Bonaned

Mamie : Bonane mami

Mamie : Bonane mmi

Mamie : Bonfet mamie

Moi : Merci mamie :)

Mamie s'entraîne aux sms

Mamie :

Mamie :

Mamie :

Moi : Qui c'est ???

Mamie : Mamie qui s'entraîne

Merci papa

Papa : Tu as oublié ton portable à la maison

Elle essaye de m'avoir

Maman : Tu peux me rappeler, je n'ai plus de batterie ?

Moi : … Le forfait et la batterie ça fait 2 !!!!

Les hackers rôdent partout

Papa : Voiture vendue, merci de supprimer l'annonce sur bon coin Bise Papa

Moi : Ah c'est cool. Par contre pour supprimer l'annonce il me faut le mot de passe que tu avais mis.

Papa : Tu le connais je ne veux pas le diffuser sur la toile, il y a trop de hackers qui rôdent

Moi : Oui tu as raison, soyons prudent.

High tech

Maman : Bonjour.mon.fils.comment.vas.tu

Moi : Salut bien et toi ? Mais pourquoi tu mets pas d'espace mais des points ?

Maman : Ah mais il y a une touche espace ah d'accord que c'est itec !!

Moi : Euh… Oui maman

L'écriture intuitive

Moi : Je rentre dans 1h en voiture avec la belle merde de Virgile

Maman : Ok mais fais attention à l'écriture intuitive cela fait des phrases bizarres et pas sympa pour cette dame

Moi : Bien joué !

Le téléphone qui veut tout contrôler

Moi : Je mange à la maison ce midi

Maman : On

Maman : Pardon "OK" il m'énerve ce téléphone il veut tout contrôler

Son tout premier SMS

Moi : Salut Papa, tu reçois bien les SMS sur ton nouveau téléphone tout tactile ??

Moi : Pour répondre il faut cliquer sur "répondre"

Papa : Oui tout au moind oui tout au moins celui ci

Moi : Bien joué !!

Elle ne sait pas téléphoner

Moi : Pourquoi tu m'appelles et après tu raccroches ?

Maman : Mais j'appelle et après ça raccroche tout seul…

Moi : Maman tu appuies sur le bouton rouge en bas ?

Maman : Oui pourquoi ?

Moi : Arrête.

Chapitre 5

Problèmes de communication

Moi : Hi Dad ! À quelle heure on se retrouve ce soir pour manger? Bisous.

Papa : Ok.

Le bisou

Maman : tu es où ?

Moi : chez Julie

Maman : ok fais lui un bisou de ma part

Moi : elle te le rend

Maman : elle n'en veut pas ?

Heureusement que je suis fils unique...

Moi : c'est quoi l'adresse de grand père ?

Maman : céki ?

Repas ou pas ?

Moi : Coucou, est-ce que vous revenez à la maison ou je dois me faire à souper? Bisous

Maman : Oui

Moi : Oui vous revenez ou Oui je dois me faire à souper?

Maman : Fais-toi à manger on revient.

Moi : ...

Mon père est somnambule

Moi : tu es réveillé ?

Papa : non et toi ?

À quoi tu joues ?

Moi : Je peux dormir chez toi ce soir ?

Maman : Pardon ?

Moi : Bah quoi ? Je te demande

Maman : Mais Lucie à quoi tu joues ? C'est ta mère en face !

Moi : Aaaaah mais oui pardon… je voulais dire chez Louise Amélie

Maman : On verra ce soir !

La bonne réponse

Papa : Pkoi tu sonnes ?

Moi : Bah parce que je veux rentrer mdr

Maman est lourde

Maman : Ta sœur est là

Maman : T où

Moi : Au carrefour

Maman : Et ta sœur

Moi : Aussi

Maman : T où

Moi : Mais dis-moi, toutes les 10 minutes tu vas m'envoyer le même message ?

Maman : Yes

Maman a du mal à comprendre

Moi : Je pense que ça a été

Maman : Tu n'as pas trop stressé ? C'est quoi la matière ?

Moi : Histoire géo. Nan pas pour l'histoire

Maman : ApreS midi c'est histoire

Moi : Nan c'était ce matin

Maman : Ce matin c'était quoi

Moi : Histoire !!!!

Maman : Non cet apreS midi

Chez Paul

Moi : Maman tu peux venir me chercher au Paul stp ?

Maman : C'est qui Paul ?

Sinon tu lis tes messages ?

Maman : Coucou chéri ça va ?

Moi : Ouais et toi ?

Maman : Oui ça va et toi ça va ?

Je viens pas

Mamie : Coucou

Moi : Coucou mamie ça va ?

Mamie : Oui

Moi : Tu sais a quelle heure je dois venir vous chercher à la gare ?

Mamie : Oui

Moi : ??

Mamie : Oui je sais

Y'a quelqu'un ?

Maman : On y va ?

Maman : Y'a qq ?

Moi : ??

Maman : Y a t il quelqu'un ?

Moi : Où ?

Maman : À la maison

Moi : Bah moi

Maman : Bah je suis rentrée

Moi : Ah bon

Nothing

Maman : What are you doing ?

Moi : Nothing

Maman : Nan mais dis !

Moi : Mais rien !!!!

Maman : Pourquoi tu dis pas ?

Moi : Mais "nothing" ça veut dire "rien" !!!

Maman : Aaaaaaaah…

Les questions

Moi : Ma fiche de paie ? J'ai eu le remboursement du navigo ?

Maman : Pourquoi des ??????

Moi : Parce que ce sont des questions

Le dialogue de sourds

Maman : Alors fini ?

Moi : Ouep

Maman : T as pas l'air sûr ?!!!

Moi : Bah si !

Maman : Fini ??

Moi : Bah je te l'ai déjà dit !

Maman : Je nai pas compris si c'est fini ou pas ??

Moi : Oui !!!!

Réponse inattendue

Moi : T'as oublié la liste : chorizo beurre pain moule

Papa : Gueugueugueu…

Moi : Mais encore ?

Mamie sourdingue

Moi : Trop gentille !!
Je t'aime aussi

Mamie : est-ce que tu as des sous ?

Mamie : est-ce que tu as des sous ?

Moi : J'ai 2 euros

Mamie : tu as des sous ?

Moi : 2 euros

Mamie : tu as des sous ?

Moi : MAMIE
J'AI DEUX EUROS

Mamie a du mal

Moi : Je rentre manger

Mamie : Ok quelle heure

Moi : Avec le blond

Mamie : Ok quelle heure

Moi : 12h30

Mamie : Ok quelle heure

Moi : 12h30

Mamie : Ok quelle heure

Mamie : Ok

Mamie : Ok

Chapitre 6

Grosses blagues

Papa est concis

> **Moi :** On mange quoi ce soir ??

> **Papa :** Un repas.

Jaune d'œuf

Moi : Cool :) j'arrive dans 10-15 minutes

Papa : Hillary Duff a un bébé Un garçon

Moi : Aaaah ouais ?!

Papa : Tu connais son prénom?

Moi : À son bébé ? Heuu ba non

Papa : C....... John.........John Duff

Moi : MDDRRR ! T'es bête :P !!

Salustucru !

Moi : Tu peux venir me chercher quand ?

Maman : Je viens pour 22h ça ira ?

Moi : Nickel Miguel

Maman : Ça roule ma poule !

Moi : A plus dans l'bus !

Maman : À bientôt dans le métro !

Moi : A plus tard dans l'car !

Maman : À tout à l'heure, biscotte au beurre !

Moi : On se voit après, patate cramée !

Maman : À toute, trois litres de mazout !

Moi : T'en as encore beaucoup des comme ça ?

Maman : Ton père m'a aidée hihihi

Gilbert Montagné

Maman : ':.:: .:. ..:;;;,... :' .:: ::::
;, ., .:;: ;;;, ;;: « ....:;! ..:;' .,,,,....:?

Maman : Elle est marrante non??? C
Gilbert Montagné qui vient de me l'envoyer.

Moi : ?

Maman : T'aimes pas gilbert et les non
voyants ?? C'est vrai ils ne fréquentent
pas les opticiens!

Moi : Non, mais ta blague est juste nulle!

Maman : Bou! J'vais plus te payer ton école
si t'es si méchante avec les nonvoyants!

Moi : <3

Maman : Change pas de sujet, pour
la peine ce soir t'iras garder ta soeur!

Moi : Bou!

Maman : Bou toi-même, fallait
rire à ma blague !!

Maman se fait passer pour papa

Moi : Papa ? C'est toi ?

Papa : Ouiii enfin elle me laisse me reposer maintenant il est temps

Moi : C'est petit repas aux chandelles ?

Papa : Oui j'ai une femme merveilleuse qui me prépare des repas merveilleux. Je suis vraiment un homme comblé !

Moi : Maman lâche ce portable !!!

Tu es belle...

Papa : dis à une fille qu'elle est belle 1 million de fois, jamais elle ne te croira

Papa : dis-lui une seule fois qu'elle est moche, jamais elle ne l'oubliera…

Dix euros

Moi : Je suis à découvert de dix euros !!

Papa : Bien, notre plan machiavélique pour que tu continues à nous contacter a fonctionné…

La rançon

Moi : Ici un groupe sauvage de Talibans… Criiich (bruit du Talkie Walkie de Talibans qui ne marche pas bien)…

Moi : Nous avons kidnappé votre fille sur le chemin du retour et la détenons en otage…

Moi : Comme rançon, nous exigeons un iPhone 4s avec forfait illimité… Criiich…

Moi : Si nous n'obtenons pas ce que nous demandons : On l'exécute ! MOUAHAHAHAHAH! (rire de vilains méchants Talibans).

Papa : Négocions. iPhone, trop cher pour ce que c'est. Proposons échange contre deux chèvres OU un chameau. Ceci est une proposition non négociable. Sinon : GARDEZ-LA!

Papa joueur

Papa : Coucou mon fils

Papa : Coucou mon fils

Papa : Coucou mon fils

Papa : Coucou mon fils

Moi : J'ai compris, stop !

Papa : Dommage, j'avais 30 euros pour toi ! à la prochaine !

Moi : Naaaaaannn donne !

Papa : Eh bah nan

Groupe de soutien

Moi : Je déteste mon boulot :(

Papa : Tu sais il y a un groupe de soutien pour ça, ça s'appelle TOUT LE MONDE et ils se retrouvent au bar en fin de journée

Joyeux Noël !

Maman : Votre papa me demande ce que vous aimeriez avoir pour Noël, en dehors du fric que je lui ai suggéré de vous donner. Des baisers d'amour

Moi : Des putes et de la drogue, ce serait sympa

Maman : Ah! Oui?

La réponse

Moi : Dès que tu as bien lu mon message, penses à me répondre Maman!

Maman : Maman.

Ça me rend malade

Moi : Tu te rappelles qu'aujourd'hui c'est l'anniversaire de maman ?

Papa : Non

Moi : C pas sympa ! Appelle-la !

Papa : Non non et non

Papa : Je ne l'aime pas

Papa : Elle va vouloir qu'on fasse l'amour

Papa : Ça me rend malade

Dans ton c...

Moi : Il est ou le cappuccinnooooo ?

Maman : Dans ton cuuul mdr

Moi : Maman t'es mon idole spirituelle <3

Ma maman est une cougar

Maman : Tu fais quoi ?

Moi : Je me drogue et je brûle la maison, et toi ?

Maman : Je drague des collégiens.

Elle connaît ses classiques

Moi : Maman tu connais la blague du lit vertical ?

Maman : Oui elle est à dormir debout

Moi : Et celle de la chaise ?

Maman : Elle est pliante !!!

Moi : Tu m'as à chaque fois ! :(

Maman : Je connais les classiques ma chérie !!!!

Moi : C'est ton ancienneté :)

La fausse joie

Le secret

Maman : On ne souhaite pas bonne nuit à sa maman préférée ?

Moi : Oui maman bonne nuit puis c est pas compliqué que tu sois ma préférée j'en n'ai qu'une ! :)

Maman : En fait non j'ai pris une mère porteuse parce que je ne voulais pas abîmer mon corps de rêve ah ah ah je t'ai enfin dévoilé mon secret

La surprise

Moi : Bonne fête grand-mère

Maman : Mais je ne suis pas grand-mère

Moi : Surprise !!!

Humour du matin

Papa s'éclate

Ma fille a faim

Moi : Où diantre êtes-vous passés? Nous quémandons notre noble pitance !

Maman : Parbleu, nous sommes des fesses mathieu… Nous prenons route Prestement, afin de Rejoindre le royaume de soucieu, par le chemin des festoyants, nous allons croiser le fer avec quelques malandrins. À de suite dame Clara afin de partager notre humble pitance… Oyé oyé

Maman déconne

Maman : Salut j'ai répondu à ta prochaine question

Moi : Quelle question ???? explique-moi!!!!

Maman : Oui. Maintenant je viens de répondre à ta prochaine question aussi

Moi : Tu me prends pour un con ou quoi???

Maman : Tu as eu ta réponse 8D

Moi : Merde -_-

Devine qui c'est

Moi : Bonjour !

Papa : C'est qui ?

Moi : C'est Jésus

Papa : Tout s'explique

Moi : Absolument

Jeux de mots

Moi : On se fait une pizza ce soir ?

Papa : Pourquoi ?

Moi : Maman et moi on a envie

Papa : 6 vous vous laids

Moi : C vrèment til-gen

Papa : Vous vous zan au cul prêt

Moi : Pas de sourcil, on a la bite rude

Papa aussi fort que Jésus !

Papa : Jésus à changé l'eau en vin…

Moi : Et alors ?

Papa : Moi je peux changer l'eau en café !

Moi : Euh merci pour l'info papa lol

Papa est choqué

Moi : Qu'est-ce qui est blanc sur le sexe d'un curé ?

Papa : Emilie stop maintenant c pas vrai

Moi : J'ose pas te dire la réponse tu vas me tuer

Papa : De la peinture

Moi : Non, une dent de lait

Papa : Dis quand même et après je te tue

Moi : Une dent de lait

Papa : J'arrive

Femme au volant

Papa : Coucou alors le code ?

Moi : Raté :(

Papa : O merde :-(

Moi : Ouais j'suis une vraie cloche :(

Papa : Je n'aurais pas dit cloche mais Cruche… ;-(

Papa : Ha ha ha une femme de moins sur la route :-)

À tes souhaits !

Maman : À tes souhaits

Moi : ??

Maman : Tu as éternué

Moi : Ah oui! Merci, t'es où ?

Maman : Derrière ta porte

La « bonne » douche

Moi : Bon je te laisse je vais à la douche

Papa : Ok bonne douche à toi !

Moi : Y'a pas de bonne ou de mauvaise douche !!

Papa : Si !! Regarde Claude François ! Bisous !

Moi : (j'ai honte pour toi !)

Le triple A

Papa : Ce soir soupe, on a perdu le triple A.

Moi : Je v*is m*nger *u M*c Do

Papa : *h *h *h, très drôle.

Mamie fait des paris débiles

Mamie : C'est quoi la marque de ta voiture ?

Moi : Ford Ka

Moi : Pourquoi ?

Mamie : J'ai gagné mon pari avec papy. Chaque fois il dit que tu as une Renault. Maintenant J'ai la preuve écrite

Moi : Héhé t'as gagné quoi ? ;)

Mamie : Rien

Papa est radin

Moi : Papa tu peux me faire un virement ?

Papa : Combien ?

Moi : Le plus possible (sachant que vous me devez déjà au moins 100 !)

Papa : 101 ?

Moi : Ha ha ha !

Papa : C'est trop ?

La bonne blague

Maman : La WWF (Protection des animaux) informe la disparition du dernier babouin d'Afrique. Fais pas le Con et Reviens !!! Mdr fais passer Envoie à tt t contact.

Moi : Un appel à l'aide a été émis de la part de WWF, une vieille buffle de 600 kg a disparu dans la région du sud, MAM'S déconne pas rentre à la maison !!! Mhouaoau !!! Mdr !!

Pauvre poisson !

Moi : Il manque pas un poisson dans l'aquarium ?

Papa : Cherche-le

Moi : Je le trouve pas

Papa : Il est mort hier c'est normal

Moi : Ah bon ! Lol tant pis ! Il est mort de quoi ?

Papa : Il a vu ta mère le matin au lever

Moi : Ahhhh c'est compréhensible alors !

Une belle jambe

Moi : Ça va ?

Maman : Je vais me faire épiler

Moi : Eh ben ça me fait une belle jambe !!!! Ah ah ah

Chapitre 7

Trop abusé

L'appel au secours

Moi : Le bus vient de partir sans moi, il neige, j'ai froid :'(

Maman : ok

À ton avis

Moi : On se fait quand une aprèm entre mère et fille ?:)

Maman : C'est qui ?

Moi : Laisse tomber

Pas plus inquiète que ça

Moi : Putain ! L'orage ce matin était ultra puissant !! J'ai jamais vu ça. Un énorme éclair est tombé sur la porte !!! Y'a un trou dans le mur. La Livebox et la machine à laver ont explosé. Y'a eu une énorme explosion c'était affreux, j'ai eu trop peur. & toi ça va ? Orage ?

Maman : Rien ici !
37 degrés… gros bisous

Démerde-toi

Moi : Salut. Est-ce que tu peux venir me chercher au métro ?

Papa : Oui à quelle heure ?

Moi : Ben vers 18h

Papa : Ouais ok. Je sors du boulot à 19h30 et je viens te chercher

Moi : Ah ouais et je fais quoi pendant 1h30 ???

Papa : Mais j'en sais rien moi… Démerde-toi !

La grande marche

Moi : Maman, je finis à 17h aujourd'hui tu viens me chercher ?

Maman : Si je t'ai fait des pieds, c'est pour que tu marches. À ce soir.

Mais pourquoi sont-ils aussi méchants ?

Papa : Ta mère vient te chercher. À tt

Moi : Hein pourquoi ?

Papa : Juste pour t'afficher devant le lycée !!! MDR

Moi : C méchant

Papa : :D

Maman flemmarde

Maman : Tu veux manger quoi ?

Moi : Mais t'es où ?

Maman : Au salon. Des pâtes ça te va ?

Le piège

Maman : T'as fait tes devoirs ?

Maman : Tu es allé voir tes grands-parents ?!

Maman : Avec papa on a décidé de t'acheter une voiture

Moi : Woow c'est vrai ??? :)

Maman : Non ! C'était pour m'assurer que tu lisais bien mes messages

Moi : C'est pas juuuuuste !! :(

Cache ta joie

Moi : Je sais pas. J'ai passé mon CAP projectionniste ce matin, je m'en sors avec 15 de moyenne et 18 pour le numérique (aucunement révisé). Haha !

Maman : Je croyais que c'était la semaine prochaine

Moi : N'exprime pas trop ta joie, elle m'éclabousse à la tronche.

Maman : Oh ça va. Bravo mon fils.

L'eau froide

Moi : Y a plus d'eau chaude

Maman : Lave-toi quand même on s'en fout !

Il y a des priorités dans la vie

Moi : Je suis au commissariat, viens me chercher.

Maman : Non

Moi : Pourquoi ??

Maman : Ça t'apprendra

Moi : Tu viens me chercher quand ?

Maman : Jamais

Maman : Bon, le film commence, à ce soir :)

Retour de voyage

Maman : Alors ton voyage en Espagne c'était bien?

Moi : Oui pas mal [...]

Maman : Et sinon quand est-ce qu'on a nos clopes?

La bonne nouvelle

Papa : Coucou ma pupuce, j'ai une bonne nouvelle pour toi :)

Moi : Dis-moi...

Papa : Toi qui voulais ton indépendance, c'est gagné ta mère est enceinte et on a besoin de ta chambre, bonne journée !

La vente de mon lit

Maman : Tu es où ?

Moi : Je dors chez Kéké

Maman : Je crois que je vais vendre ton lit bisous bonne nuit

Quand on a oublié ses clés

Moi : J'ai oublié la clé, on fait comme d'hab ?

Papa : Non je suis parti, au moins ce coup-ci t'as une bonne excuse pour dormir chez une copine !

Moi : J'ai ni voiture ni argent Pa...

Papa : Trouves-en une bien bonne et bien conne qui va venir te chercher, te faire à manger et t'héberger. :)

Moi : Je sais pas si j'ai ça dans mon répertoire

Papa : Va dans tes contacts et regarde à "Maman".

Bonne fête papa

Moi : Bonne fête Papa !

Papa : C'est possible de jouer au poker sur internet tranquillement ? (Pas la peine de répondre à ce message)

Alors rien

Moi : Maman lundi je ferai mes devoirs mais mon copain il pourra venir un peu à la maison ?

Maman : J'en sais rien. Je dors.

Moi : Alors ?

Maman : Alors rien.

Ça va pas ça !

Moi : Tu as fait à manger ??

Maman : Oui pour mon toutou

Moi : Et pour nous ?? J'imagine que non ?!

Maman : Exact

Moi : Mais ça va pas ça !!!

Cheese cake

Papa : Coucou il y a un cheese cake pour toi de la part de Carla

Moi : Ah bon, où ?

Papa : Dans le frigo

Moi : Ah le petit gato là ?

Papa : Oui. Lol.

Moi : Dégueu le gateau

Papa : Oui c'est pour ça que je te l'ai gardé lol

Maman s'intéresse à ma vie

Moi : JE PASSSSEEEEEEE

Maman : J'suis pas là

Moi : Non mais en Troisième…

Mère indigne

Moi : Maman tu nous manques on pense à toi <3 !!! on vient de finir de bouffer on va au parc ! Bonne soirée !!

Maman : La maison est super calme ! Mito que je vous manque ! Amusez vs bien !

Moi : Méchante jte jure tu me mankkk

Moi : En tt cas toi on a pas l'air de te manquer sniff

Maman : Pas pr l'instant ! Nan !

Maman n'a pas mon numéro

Moi : Ce soir je mange chez Aurélie

Maman : C'est qui ?

Moi : Aurélie ??? C'est ta fille !!!

Maman : Oui ça je sais !
Mais vous vous êtes qui ?

Moi : Ton autre fille… :(Merci
d'enregistrer mon numéro

Maman : Oups !

L'ordre

Papa : Les pâtes sont prêtes ?

Moi : Non

Papa : Alors dépêche-toi
de les faire cuire feignasse

Les vacances selon maman

Maman : Tu penses à te faire un emploi du temps pour aller chez mamie et surtout réviser et ça J'INSISTE et tes sorties tu me fais le point tout à l'heure et ce sera de vraies révisions avec moi.

Maman : Et bien sûr du ménage à fond et tu vas m'enlever aussi le papier peint du salon on voit ça tout à l'heure

Moi : Non mais c'est plus des vacances là !

Ou pas

Moi : Bonjour :) Tu peux venir nous chercher à 16h30 ou pas ? :s

Papa : Ou pas

L'abandon

Moi : Dis vous rentrez quand ?

Papa : Plus jamais

Toi tu manges à la cantine

Maman : On prendra le macdo en revenant du lycée

Moi : Mais je mange à la cantine

Maman : Toi. Tu manges à la cantine, nous on vient te chercher et en revenant on passe au macdo

Moi : Ok ok. Vous auriez pu manger avant bande de vilains.

Maman : Non c'est plus drôle comme ça

Le sandwich

Papa : Tu as la moitié d'un sandwich dans le frigo dans un sac leclerc tu peux le manger. C'est le même qu'hier.

Moi : Merci de pas me laisser crever de faim !

Maman le prend mal

Moi : :/

Maman : Tu veux quoi ?

Moi : T'annoncer une bonne nouvelle

Moi : !*

Maman : C'est quoi la bonne nouvelle ?

Moi : Tu vas être mamie

Moi : :/

Maman : Papa a déjà chargé le fusil

Comique de répétition

Papa : Salut grognasse !!! À quelle heure t'arrives à Nice ville ??? Pas de nouvelle bonne nouvelle…

Moi : La grognasse arrive à 18h !!!

Papa : À quelle heure t'arrives ??

Moi : Je te l'ai déjà dit ! 18h Tu as pas reçu mes messages ?

Papa : Si mais j'aime bien te faire répéter…

Merci quand même

Moi : Tu pourras venir me chercher ?

Moi : ?

Moi : ??

Moi : Je vais prendre le bus merci quand même

Le vent

Moi : Je t'aime

Maman : Ok

Moi : Merci

Elle préfère la téloche

Moi : Coucou maman. Bonne nouvelle, j'ai trouvé du boulot. Je finis les épreuves mercredi et je commence jeudi matin. Comme ça je pourrai prendre le train en juillet pour venir te voir.

Maman : Salut ! Ok c'est cool.

Moi : Cache ta joie c'est trop d'émotion.

Maman : Je regarde la télé là je t'appelle plus tard

Je t'aime, moi non plus

Moi : Maman je t'aime !

Maman : Ok

Moi : Tu ne m'aimes pas ?...

Maman : Si mais que quand tu auras rangé ta chambre

L'esclave

Maman : Va chercher de la pomade homeoplasmine à la pharmacie

Moi : Ok

Maman : Et du doliprane 1000 merci mon fils que j'aime

Moi : Ok

Maman : Et une carte mémoire au Leclerc

Moi : Ho ça va aller tu te fous de moi ou quoi ?

Tu dors dehors

Moi : On me ramène ce soir.

Moi : J'ai pas mes clés.

Papa : Tu dors dehors au pied de la porte et tu attends tes frères

Te fous pas de moi

Moi : Pap's !! J'ai eu mon BAC !! :)

Papa : Chère fille, Te serait-il possible d'arrêter de te foutre royalement de ma gueule ? Me donner de faux espoirs sur un avenir qui ne se réalisera jamais, mais dans un futur très lointain, est d'un sadisme sans nom !

Papa : Rentre plutôt faire le ménage, tu dois te préparer à ton futur emploi !

Elle aime me torturer

Maman : J'espère que tu as dû te lever de ton lit et traverser ta chambre pour lire ce message.

Maman puérile

Moi : Dis je peux sortir avec Mat' ce soir ?

Maman : Dis je peux sortir avec Mat' ce soir ?

Moi : OK je prends ça pour un oui. À demain.

Maman : Tu rentres immédiatement.

On est bientôt arrivé ?

Moi : T'es bientôt arrivée ? Il te reste combien d'heures de trajet ?

Maman : Si je suis partie sans toi c'est pour pas t'entendre me demander si on est bientôt arrivé. T'arrives à me saouler en étant à des kilomètres !

Moi : Ça t'apprendra à voyager sans moi mère indigne.

Maman : Tais-toi je conduis.

Elle me laisse en plan

Moi : Oublie pas de me laisser les clés de la maison dans le placard

Maman : Oui ne t'inquiète pas

Moi : Maman elles sont où les clés ???!

Moi : Mamaaaan ??

Moi : Maman viens m'ouvrir j'ai froid là !!

Papa zappe mon anniversaire

Moi : Tu rentres quand ?

Papa : Lundi soir.

Moi : Ah tu vas louper mon anniv…

Papa : Ben non, je serai là le 18 !

Moi : Trop sympa. Je suis né le 17…

Vous en voulez encore ?
Retrouvez plus de SMS sur notre site web :
mesparentsfontdessms.com

Et téléchargez gratuitement l'application MPFS
sur votre smartphone iPhone et Android.

10239

Composition
FACOMPO
Achevé d'imprimer en Italie
Par GRAFICA VENETA
le 14 janvier 2013
Dépôt légal janvier 2013
EAN 9782290059470
L21EPLN001321N001

Éditions J'ai lu
87, quai Panhard-et-Levassor, 75013 Paris

Diffusion France et étranger : Flammarion